서문

컬러링북을 사랑하는 여러분!

이 책은 강아지 얼굴을 이용한 만다라 형식의 컬러링북입니다.

만다라는 고대부터 명상과 치유의 도구로 사용되어 왔습니다. 복잡한 패턴과 반복되는 형태는 우리의 마음을 진정시키고 내면의 평화를 찾는 데 큰 도움을 줍니다.

이 컬러링북을 통해 여러분은 강아지의 사랑스러운 얼굴을 색칠하며 마음의 안정을 찾고, 일상에서 벗어나 잠시나마 힐링의 시간을 가질 수 있을 것입니다.

컬러링은 단순한 예술 활동을 넘어, 명상과 치유의 효과를 가져다주는 특별한 경험입니다. 색을 선택하고, 패턴을 완성해 나가는 과정에서 여러분은 몰입의 즐거움과 함께 내면의 평화를 느낄 수 있습니다. 이 책이 여러분의 마음을 편안하게 하고, 창의력과 힐링의 시간을 제공하길 바랍니다.

지금부터 색칠을 시작해 보세요. 여러분의 손끝에서 펼쳐질 아름다운 만다라 세계를 기대합니다.

프렌치불독

포메라니안

푸들

페키니즈

퍼그

티베탄마스티프

파피용

코카스파니엘

케언테리어

케리블루테리어

치와와

진돗개

잭러셀테리어

이탈리안그레이하운드

웰시코기

웨스트하이랜드화이트테리어

오스트레일리안캐틀독

아펜핀셔

아키타

아이리시세터

시츄

시베리안허스키

스태퍼드셔불테리어

셰퍼드

샤페이

살루키

비숑프리제

비글

불독

브리타니

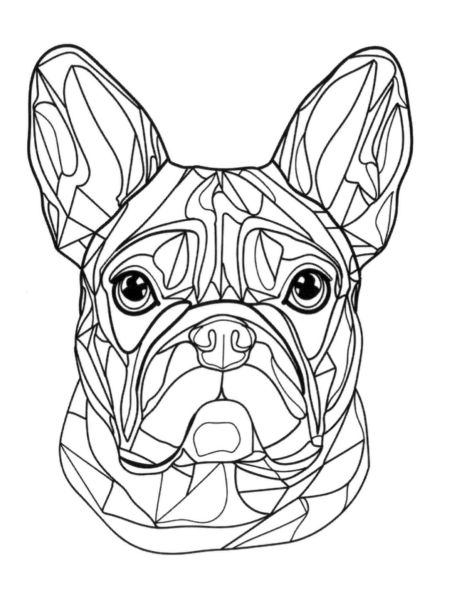

보스턴테리어뉴펀들랜드

보르조이

보더콜리

베들링턴테리어어

버니즈마운틴도그

바셋하운드

믹스견

미니어처슈나이저저

말티즈

말라뮤트

로트와일러

래브라도리트리버

도베르만

달마시안

닥스훈트

뉴펀들랜드

노르위치테리어

노르웨이언엘크하운드

고든세터

골든리트리버

지만다라:색채로 찾는 힐링

| 2024년 07월 10일

| JOOHEE

이 | 한건희

곳 | 주식회사 부크크

사등록 | 2014.07.15.(제2014-16호)

: | 서울특별시 금천구 가산디지털1로 119 SK트윈타워 A동 305호

| 1670-8316

일 | info @ bookk .co.kr

N | 979-11-410-9346-4

v.bookk.co.kr

OOHEE